Mon voisin
Oscar

Une histoire inspirée de
l'enfance d'Oscar Peterson

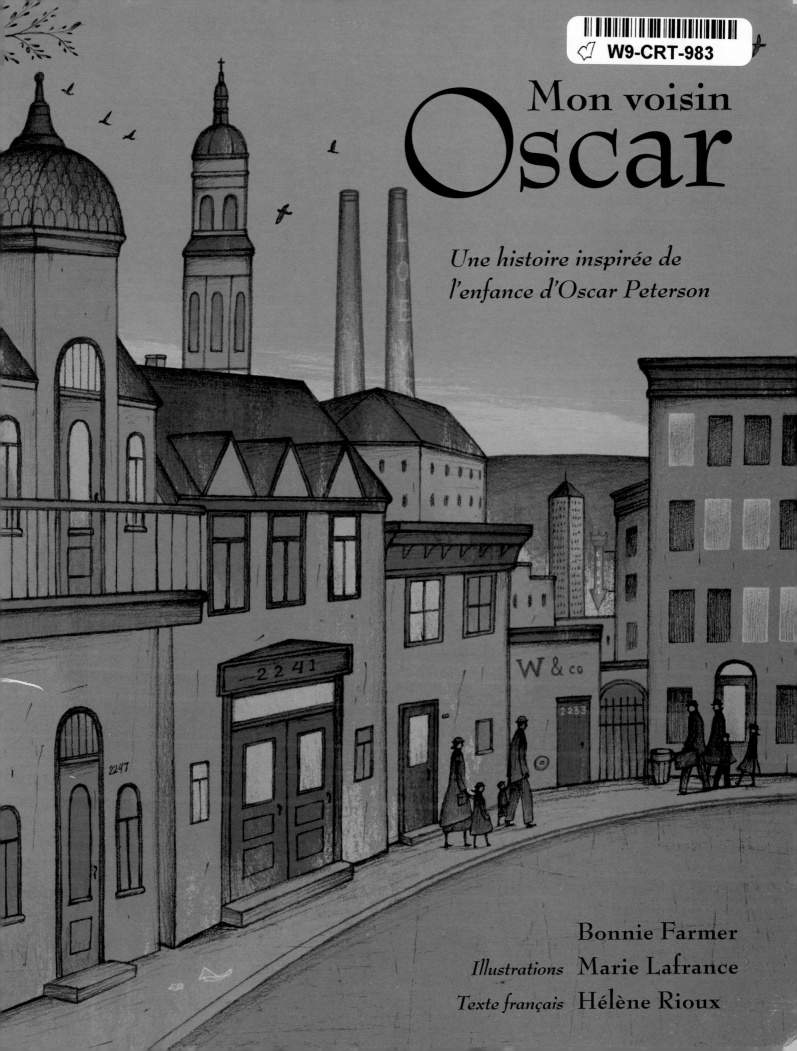

Bonnie Farmer

Illustrations **Marie Lafrance**

Texte français **Hélène Rioux**

Papa travaille dans les trains. Il porte les bagages des passagers et veille à leur confort pendant leur voyage. Quand il descend du train à la gare Windsor, il est épuisé.

— **C'est bon d'être enfin chez soi,** murmure-t-il en posant sa tête sur l'oreiller.

Mais il ne s'endort pas, parce qu'Oscar habite juste à côté de chez nous.

Taratata! fait la trompette d'Oscar.
Papa se redresse dans son lit.
— **On déménage!** dit-il. Cet Oscar nous
casse les oreilles avec sa trompette.

Tidadidouda! fait le piano d'Oscar.
— On déménage! dit papa en mettant l'oreiller sur sa tête.
Cet Oscar va nous rendre sourds avec son piano.

Les frères et les sœurs d'Oscar jouent aussi de la musique. Ils improvisent jour et nuit!

Tidadidouda! Taratata!

— **On déménage!** crie papa. **Je ne supporte plus ce tintamarre.**

Il se met des boules d'ouate dans les oreilles, mais rien ne peut assourdir la musique de nos voisins.

Nous ne déménageons pas. J'adore écouter les berceuses que joue Oscar quand le brouhaha du quartier s'est enfin calmé.

Un jour, Oscar et moi faisons la course le long de la rue Atwater. Nous passons devant la boutique de vêtements avec ses mannequins vêtus de robes de soirée scintillantes. Nous dépassons en courant le salon de coiffure où les cheveux crépitent entre les dents du fer à défriser. Mes jambes sont plus courtes et plus rapides que celles d'Oscar, mais ses foulées sont plus longues que les miennes. Il atteint l'intersection avant moi.

— **On pourrait faire semblant d'être des éléphants!** dis-je.

Nous nous mettons à marcher d'un pas lourd en agitant nos bras et en criant à tue-tête.

Un fermier en route vers le marché passe près de nous dans sa charrette remplie de légumes verts.

— *Hiiiiiiii!* hennit son cheval.

— *Hiiiiiiiii!* répondons-nous en secouant la tête et en levant les pieds très haut comme les chevaux.

Nous galopons ensuite vers l'église pour jouer un tour au père James. Nous frappons à la porte de l'église et courons nous cacher. La tête du prêtre apparaît à une fenêtre. Il nous aperçoit en train de ricaner dans les buissons.

— **Oscar! Émilie!** crie-t-il.

Mon cœur bat très fort dans ma poitrine. Oscar écarquille les yeux. Nous nous enfuyons en couinant comme des porcelets. Nous courons jusqu'à la maison. Oscar rit tellement fort qu'il se met à tousser. Il doit se plier en deux pour reprendre son souffle.

Le père d'Oscar l'appelle et pointe le doigt vers sa montre : c'est l'heure de la leçon de musique.

— **À demain, Oscar,** dis-je.

Il me salue en agitant la main.

Le soir, quand il fait doux, nous nous asseyons sur le perron arrière pour écouter les bruits du voisinage. Un train siffle au loin. Le train de papa.

— **Ça, c'est un *la* et ça, c'est un *fa*,** dit Oscar.

Je tends l'oreille, mais seul Oscar est capable de reconnaître les notes de musique dans le **tchou-tchou** du train de papa. Dans un bruit de ferraille, il quitte la gare et longe le canal.

La trompette est l'instrument préféré d'Oscar.

— Il y a un génie à l'intérieur, chuchote-t-il. Écoute!

Il souffle quelques notes et, comme par magie, un génie enturbanné sort de la trompette et flotte au-dessus des fils téléphoniques.

Oscar est un magicien.

Le samedi matin suivant, j'attends Oscar pour faire de nouveau la course jusqu'à l'intersection, mais il ne sort pas. Je frappe à la porte de chez lui.

Je demande :

— Oscar est là?

— Oscar est très malade, ma belle, répond Mme Peterson. Il est à l'hôpital depuis hier soir.

J'apprends qu'Oscar a une maladie au nom très compliqué. **Il a la tuberculose.** TU-BER-CU-LO-SE. Selon le médecin, mon ami va guérir, mais ce sera long.

Je me cache dans le placard du vestibule.

Maman m'appelle pour le souper.

— Millie!

Je me recroqueville au fond du placard.

— Qu'est-ce que tu fais, Émilie?

— Nous avons joué un tour au père James. Est-ce pour ça qu'Oscar est malade?

Maman secoue la tête et sourit.

— Non, Millie. C'est une maladie qu'on attrape au contact d'autres personnes, pas en faisant des bêtises. C'est comme un très très gros rhume. On a mal dans la poitrine et on tousse beaucoup.

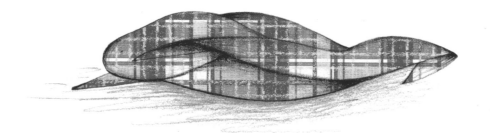

Maman va sonner chez Mme Peterson et l'invite à prendre le thé.

— **Comment va Oscar?** demande-t-elle.

Mme Peterson remue son thé pendant quelques instants.

— Il ne dit rien. Nous ne pouvons plus en tirer un son, finit-elle par répondre. **Oscar *refuse* de parler.** Les infirmières sont désemparées et son père pense qu'il a besoin d'une bonne fessée. Que faire? Je suis à bout.

Comme je ne peux pas aller le voir à l'hôpital, je lui écris une carte.

Cher Oscar,

Ce n'est pas le tour que nous avons joué au père James qui t'a rendu malade. Guéris vite et rentre à la maison.

Bisous

Millie

XOXOXOXOXOXOXO

Je fais un dessin sur l'enveloppe avant de la fermer. Avec maman,
je monte la côte jusqu'à l'hôpital des enfants et je remets ma carte à
l'infirmière au comptoir de l'accueil.

— Oscar sera content de cette belle attention, dit-elle.

J'attends longtemps qu'Oscar se rétablisse. Il me manque beaucoup.

Un matin, maman me tend une enveloppe couverte
de notes de musique.

Chère Millie,

*On m'a offert un tracteur. Il est rouge
et argenté, et gros comme une maison.
Les infirmières me l'ont donné parce que
j'étais très calme. À présent, je me plais
ici. Au début, je m'ennuyais et j'avais
peur. J'aimerais bien que tu sois ici avec
moi.*

Oscar

XO

Peu de temps après, Mme Peterson annonce à maman
qu'Oscar a recommencé à parler et à rire.

— Il est redevenu lui-même, dit-elle.

Je suis si heureuse.

Le vent printanier fait gonfler la lessive de maman sur la corde à linge. Oscar est toujours à l'hôpital.

Le soir, je n'arrête pas de me tourner et de me retourner dans mon lit. Sans les berceuses d'Oscar, je n'arrive pas à m'endormir. Sur la pointe des pieds, je vais au salon où papa écoute la radio. Là, je me couche en rond sur le tapis, comme un chat. La douce musique de jazz se faufile à travers les panneaux de bois sculpté du poste. Je crois que papa s'ennuie d'Oscar, lui aussi.

Quand papa dort, je me dirige vers le balcon arrière. La lumière est allumée chez Oscar. En regardant par la fenêtre de la cuisine, je le vois penché sur son piano. Ses doigts taquinent les touches tandis que des rythmes suaves s'échappent de la radio.

Oscar est revenu!

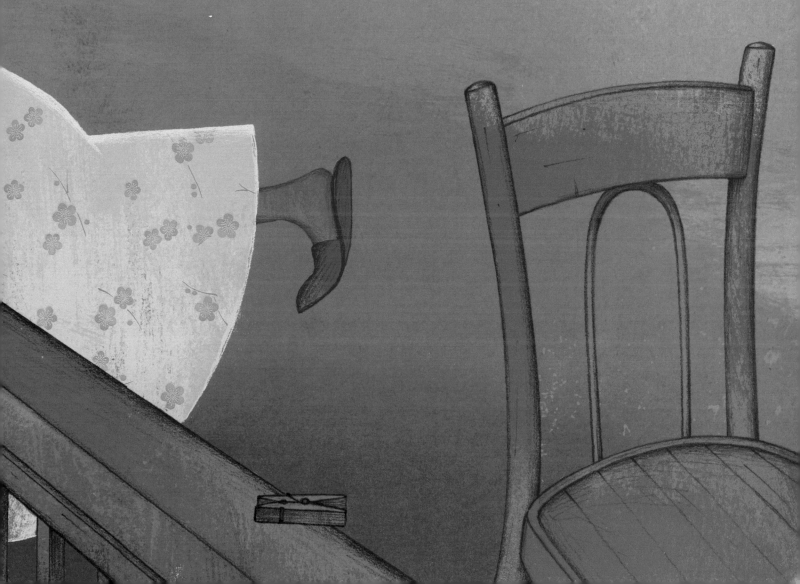

Le lendemain, j'aperçois Oscar assis sur le perron arrière avec sa trompette. Il la porte à sa bouche et appuie doucement sur les pistons, mais aucun son ne sort de l'instrument.

Papa et moi regardons Oscar démonter sa trompette, morceau par morceau.

— Je veux voir d'où vient la magie, dit-il.

Il explore du doigt les tubes de cuivre. Il regarde à travers l'un d'eux comme un capitaine de bateau. Le sol est bientôt couvert de petits tubes et de valves. Incapable de remonter son instrument, Oscar semble sur le point de fondre en larmes.

Papa m'explique que ses poumons n'ont plus la force de souffler dans la trompette.

Papa met sa casquette de bagagiste et m'embrasse avant de partir travailler.

— Quand je reviendrai à Montréal, je veux voir des sourires sur vos deux visages, dit-il.

Je m'assois sur le perron à côté d'Oscar. Une pluie tiède **tambourine** sur les morceaux de sa trompette éparpillés sur le sol. Je ramasse un des tubes brillants.

— Il y a peut-être un génie dans le piano aussi, dis-je.

Nous montons sur des chaises, ouvrons le couvercle du piano et regardons à l'intérieur.

Des rangées de petits marteaux de bois coiffés de chapeaux en feutre se suivent d'un bout à l'autre du piano. Juste devant eux, des colonnes de cordes se tiennent au garde-à-vous.

À tour de rôle, nous jouons une note et regardons le petit marteau frapper la corde.

Oscar s'assoit au piano. Il étend les doigts un instant au-dessus des notes avant de commencer à jouer. Quand il touche enfin le clavier, on croit entendre gronder **le tonnerre.**

Son père engage un professeur de piano et Oscar travaille, **travaille, travaille!**

Nous n'avons plus beaucoup de temps libre pour jouer, mais nous aimons toujours nous asseoir sur les marches de l'escalier derrière la maison. Ce soir, maman nous a préparé un bon plat, mais il est encore trop chaud pour le manger. Nous regardons le coucher de soleil tandis que de la musique jaillit d'une boîte de nuit à proximité.

— **Plus tard, je serai explorateur,** déclare Oscar.

— **Moi, je serai ballerine,** dis-je.

Nous rêvassons pendant que le pain de maïs refroidit sur le rebord de la fenêtre.

Un message de l'auteure

J'ai toujours voulu écrire un livre pour raconter aux enfants ma propre jeunesse dans la Petite-Bourgogne. Ce quartier signifie beaucoup pour moi. Après avoir quitté la Nouvelle-Écosse, c'est là que ma mère et moi nous sommes installées en arrivant à Montréal. J'ai fréquenté la Montreal Day Nursery, puis la Royal Arthur School où je me rendais en traversant chaque jour la voie ferrée. On nous servait un repas chaud au Centre communautaire des Noirs pour dix cents par jour. Il y avait aussi l'Église Unie, un centre d'activités sociales et religieuses fréquenté par les Noirs canadiens, antillais et américains. Notre quartier était plein de dépanneurs, d'escaliers en colimaçon, de perrons et de cordes à linge. Il se trouvait coincé entre deux lignes de chemin de fer exploitées par le Canadien National (CN) et le Canadien Pacifique (CP).

Je pensais depuis longtemps à la Petite-Bourgogne quand m'est venue l'idée d'écrire une histoire au sujet du garçon qui en est devenu le représentant le plus célèbre : Oscar Peterson. Quand Oscar était petit, la Petite-Bourgogne était connue sous le nom de Saint-Henri. Des décennies avant mon arrivée, il traversait les mêmes voies ferrées et fréquentait la même école primaire que moi. Comme tant de Noirs du quartier, son père était bagagiste pour les trains de ces compagnies. Plus tard, la sœur d'Oscar, Daisy, a enseigné le piano à d'innombrables enfants au Centre communautaire des Noirs.

Dans ce récit, j'ai tenté de mêler fiction et réalité. Millie est un personnage de fiction et certaines des pitreries qu'elle fait avec Oscar sont inventées. Mais Oscar a réellement souffert de la tuberculose et de mutisme sélectif. Il est également vrai qu'il a éprouvé un sentiment de perte quand il n'a plus été capable de jouer de la trompette, et qu'il s'est ensuite mis à beaucoup aimer le piano.

Oscar venait d'une famille de musiciens. Sa mère, Kathleen, chantait et son père, Daniel, jouait du piano. C'est lui qui a incité tous ses enfants à jouer de la musique. Oscar avait quatre frères et sœurs. Fred jouait du piano, Charles, du piano et de la trompette. May jouait du piano, elle aussi. Daisy, qui jouait du piano et du trombone, a été l'un des premiers professeurs de piano d'Oscar.

À sept ans, Oscar a attrapé la tuberculose, une terrible maladie pulmonaire pour laquelle, à l'époque, il n'existait pas d'autre traitement que l'isolation et le repos au lit. La tuberculose était si contagieuse que, souvent, plusieurs membres d'une même famille en étaient atteints. Ce fut le cas pour la famille d'Oscar. Sa sœur Daisy a été hospitalisée et son frère Fred a fini par succomber à la maladie. Oscar a dû passer plus d'un an à l'hôpital avant que ses poumons guérissent. Cette séparation a sûrement été une expérience terrifiante et traumatisante pour le jeune Oscar car, pendant quelque temps, il a cessé de parler. Une œuvre caritative lui a offert un tracteur, et ce cadeau l'a aidé à retrouver sa voix.

Si la maladie a affaibli les poumons d'Oscar, il a cependant conservé son oreille absolue. Il pouvait en effet reconnaître les notes de musique dans n'importe quel son. Quand il était à l'école secondaire, il a remporté un concours de piano à la radio de la CBC. Il a commencé à jouer du piano dans des boîtes de jazz montréalaises. Plusieurs de ces cabarets, comme l'Alberta Lounge, se trouvaient à proximité de la Petite-Bourgogne.

Sa carrière musicale a débuté peu de temps après et il a été invité à jouer différents genres de musique partout dans le monde. Il a joué de la musique classique, une musique interprétée sur des instruments plutôt que chantée et conçue pour l'écoute plutôt que pour la danse. Il a aussi joué du boogie-woogie, une musique rythmée qui donne envie de taper du pied et de danser. Et il a joué du jazz, une musique dans laquelle les musiciens jouent à tour de rôle une mélodie à leur façon.

Oscar a acquis une grande renommée et sa virtuosité a été récompensée par de nombreux prix, dont plusieurs Grammy Awards. Certains des musiciens qu'il écoutait dans sa jeunesse ont fini par devenir ses amis et ses collègues. Il a joué avec des célébrités comme Dizzy Gillespie, Stan Getz et Count Basie ; il a également accompagné des chanteuses comme Billie Holiday et Ella Fitzgerald. Il a reçu l'Ordre du Canada en 1972. La Société canadienne des postes a émis un timbre à son effigie et au cours de sa dernière visite officielle au Canada en 2010, la reine Elizabeth II a dévoilé une statue le représentant. Plusieurs lieux ont été nommés en son honneur, dont la salle de concert Oscar Peterson à Montréal, le square Oscar Peterson à Toronto et l'école Oscar Peterson à Mississauga, en Ontario.

Oscar est mort le 23 décembre 2007. Une grande partie du quartier où il a grandi n'existe plus, mais il continue de vivre dans le cœur des étudiants et des amateurs de jazz que sa musique a influencés. Grâce à lui, Montréal et la Petite-Bourgogne font désormais partie de l'histoire du jazz.

Oscar au piano avec sa sœur Daisy

Pour ma mère, Phyllis Marina Farmer — B.F.

Pour ma mère, Madeleine, qui, à une autre époque, s'aventurait au Rockhead's Paradise pour écouter du jazz. — M.L.

Catalogage avant publication de Bibliothèque et Archives Canada

Farmer, Bonnie, 1959-
[Oscar lives next door. Français]
Mon voisin Oscar : une histoire inspirée de l'enfance d'Oscar Peterson / Bonnie Farmer ; illustrations de Marie Lafrance ; texte français d'Hélène Rioux.

Traduction de : Oscar lives next door.
ISBN 978-1-4431-4911-2 (couverture souple)

1. Peterson, Oscar, 1925-2007--Enfance et jeunesse--Romans, nouvelles, etc. pour la jeunesse. I. Lafrance, Marie, illustrateur II. Rioux, Hélène, 1949-, traducteur III. Titre. IV. Titre : Oscar lives next door. Français

PS8561.A726O2314 2015   jC813'.6   C2015-902159-6

Édition publiée par les Éditions Scholastic, 604, rue King Ouest, Toronto (Ontario) M5V 1E1, avec la permission d'Owlkids Books Inc.

5 4 3 2 1   Imprimé en Chine CP133   15 16 17 18 19

Conception graphique du livre : Alisa Baldwin.